Things today which do not have owners include: ideas (except for intellectual property), seawater (except for pollution laws), parts of the seafloor (see United Nations Convention on the Law of the Sea for restrictions), animals in the wild (though there may be restrictions on hunting etc. – and in some legal systems, such as that of New York, they are actually treated as government property), celestial bodies and outer space, and land in Antarctica. - Les choses sans propriétaire aujourd'hui sont : les idées (à l'exception des cas de propriété intellectuelle), l'eau de mer (à l'exception des eaux contrôlées par des lois antipollution), des parties du fond marin (pour les restrictions imposées, se référer à la Convention des Nations Unies sur le droit de la mer), les animaux sauvages (il y a cependant certaines restrictions sur la chasse et, dans certains systèmes judiciaires, comme dans l'État de New York par exemple, les animaux sont propriété de l'État), les astres et l'espace ainsi que les terres de l'Antarctique. "Property." Wikipedia, The Free Encyclopedia. 01/03/2006, 03:02 UTC.

La collection *Les portables* réunit des ouvrages utilisant le concept du livre comme espace de diffusion pour la photographie.

Dédiées à la publication de travaux novateurs ou hybrides qui impliquent dans leur genèse la présence de la photographie, *Les éditions Dazibao* se veulent un lieu privilégié pour réfléchir l'image, de même que ses liens singuliers à d'autres disciplines.

The series *Les portables* brings together publications using the concept of the book as a space to diffuse photography.

Dedicated to innovative or hybrid work in whose genesis photography is present, *Les éditions Dazibao* endeavours to be a privileged site for thinking about images as well as their singular ties to other disciplines.

DAZIBAO

THOMAS KNEUBÜHLER

PRIVATE PROPERTY
PROPRIÉTÉ PRIVÉE

DAZIBAO

SOUS LA DIRECTION DE / EDITOR
France Choinière

Dazibao, centre de photographies actuelles
4001, rue Berri, espace 202
Montréal (Québec) Canada H2L 4H2
Téléphone : 514 845.0063
dazibao@cam.org, www.dazibao-photo.org

DISTRIBUTION
ABC Art Livres Canada / Art Books Canada
372, rue Sainte-Catherine Ouest, espace 229
Montréal (Québec) Canada H3B 1A2
Téléphone: 514 871.0606, télécopieur : 514 871.2112
www.ABCartbookscanada.com

Dépôt légal / Legal Deposit
2e trimestre 2006 / 2nd Quarter 2006
Bibliothèque nationale du Québec
Bibliothèque nationale du Canada / National Library of Canada

Catalogage avant publication de Bibliothèque et Archives Canada /
Library and Archives Canada Cataloguing in Publication

Vedette principale au titre / Main entry under title:
Kneubühler, Thomas
Private property = Propriété privée
(Les portables)

ISBN 2-9221-3528-4

1. Kneubühler, Thomas. 2. Photographie artistique.
I. Dazibao (Galerie d'art). II. Titre. III. Titre : Propriété privée. IV. Collection : Portables.

TR647.K63 2006   779'.092   C2006-940584-0

Thomas Kneubühler remercie / wishes to thank Le Conseil des arts et des lettres du Québec.

CONCEPTION GRAPHIQUE / GRAPHIC DESIGN
Joanne Véronneau

ACHEVÉ D'IMPRIMER EN AVRIL 2006 PAR / PRINTED IN APRIL 2006 BY
l'Imprimerie l'Empreinte

Né à Soleure en Suisse, Thomas Kneubühler est d'abord venu au Canada dans le cadre d'un programme d'artiste en résidence. En 2003, il complétait une maîtrise en arts visuels à l'Université Concordia à Montréal. Son travail traite de thèmes sociaux, explorant l'impact de la technologie sur nos vies. Thomas Kneubühler a participé à de nombreuses expositions individuelles et collectives en Europe, au Mexique et au Canada.

Les photos pour le livre *Private Property/Propriété privée* ont été prises à Montréal en 2005-2006.

Born in Solothurn, Switzerland, Thomas Kneubühler came to Canada for the first time in 1996 as part of an artist-in-residence exchange program. In 2003, he completed a Master's degree in Studio Arts at Concordia University, Montreal. His work often deals with social issues questioning how technology is affecting people's lives. It has been shown in many solo and group exhibitions in Europe, Mexico and Canada.

The photographs for *Private Property/Proprieté privée* were taken in Montreal during 2005-2006.

Les choses sans propriétaire aujourd'hui sont : les idées (à l'exception des cas de propriété intellectuelle), l'eau de mer (à l'exception des eaux contrôlées par des lois antipollution), des parties du fond marin (pour les restrictions imposées, se référer à la Convention des Nations Unies sur le droit de la mer), les animaux sauvages (il y a cependant certaines restrictions sur la chasse et, dans certains systèmes judiciaires, comme dans l'État de New York par exemple, les animaux sont propriété de l'État), les astres et l'espace ainsi que les terres de l'Antarctique. "Property." Wikipedia, The Free Encyclopedia. 01/03/2006, 03:02 UTC.

Things today which do not have owners include: ideas (except for intellectual property), seawater (except for pollution laws), parts of the seafloor (see United Nations Convention on the Law of the Sea for restrictions), animals in the wild (though there may be restrictions on hunting etc. – and in some legal systems, such as that of New York, they are actually treated as government property), celestial bodies and outer space, and land in Antarctica. "Property." Wikipedia, The Free Encyclopedia. 01/03/2006, 03:02 UTC.